헨리와 머지

그리고 한밤중 소동

글 신시아 라일런트 | 그림 수시 스티븐슨

Contents

한국어 번역 ⋯ 04 ~ 40

본 워크북에 담긴 한국어 번역의 페이지는 영어 원서의 페이지와 최대한 동일하게 유지했습니다.

영어 원서를 읽다가 이해가 가지 않는 부분이 있다면, 워크북의 같은 페이지를 펼쳐 보세요! 궁금한 부분의 번역을 쉽게 확인할 수 있습니다.

Activities ⋯ 41 ~ 89

영어 원서를 내용상 총 여섯 개의 파트로 나누어, 각 파트별로 다양한 액티비티를 담았습니다. 재미있게 영어 원서를 읽고 액티비티를 풀어 나가다 보면 영어 실력도 쑥쑥 향상될 것입니다!

Answers ⋯ 90 ~ 92

오디오북 ⋯ 부록 MP3 CD

부록으로 제공되는 MP3 CD에는 '듣기 훈련용 오디오북'과 '따라 읽기용 오디오북'의 두 가지 오디오북이 담겨 있습니다.

'듣기 훈련용 오디오북'은 미국 현지에서 제작되어 영어 원어민들을 대상으로 판매 중인 오디오북과 완전히 동일한 것입니다.

'따라 읽기용 오디오북'은 국내 영어 학습자들을 위해서 조금 더 천천히 녹음한 것으로 '듣기 훈련용 오디오북'의 빠른 속도가 어렵게 느껴지는 초보 학습자들에게 유용할 것입니다.

할머니 집으로

헨리와 그의 큰 개 머지는

헨리의 부모님과 함께

시골에 가고 있었다.

헨리는 만화책을 읽고 있었다.

머지는 자신의 발톱을 물어뜯고 있었다.

그들은 헨리의 할머니를
방문할 예정이었다.
헨리의 할머니는 한 번도
머지를 만난 적이 없었다.
그래서 헨리는 걱정했다.
그는 머지가 할머니의 치마에
침을 흘릴까 봐 걱정했다.

그는 머지가

할머니의 작은 탁자를

먹을까 봐 걱정했다.

하지만 주로 그는

머지가 밖에서

자야 할까 봐 걱정했다.

머지는 이전에 한 번도

밖에서 잔 적이 없었다.

그리고 만약 머지가 밖에서 잔다면,

헨리는 시골에 있는

어두운 마당 안

낯선 집의

빈 방에서

잠들려고 노력하며,

혼자 있게 될 것이었다.

헨리는 만화책을 읽었고

걱정했다.

그가 더 오래 차를 타고 갈수록,

그는 더 걱정스러웠다.

그는 곧 자신의 손톱을

물어뜯기 시작했다.

씹기, 물기. 뱉기.

씹기, 물기. 뱉기.

헨리는 자신의 손톱을 물어뜯었고,

머지는 녀석의 발톱을 물어뜯었고,

차는 계속 나아갔다.

"안녕, 얘야"

오랫동안 차를 타고 간 후에,
헨리와 머지는
할머니의 집을 보았다.
그곳에는 새를 위한 물통과
옥수수로 가득한
정원이 있었다.

헨리와 머지는
시로를 바라보았다.
그들의 손톱과
발톱은
매우 짧았다.

헨리의 할머니가

밖으로 나왔다.

할머니는 활짝 미소를 짓고

물방울무늬 원피스를 입고 있었다.

머지가 그녀를

한 번 쳐다봤고

녀석의 꼬리는 흔들리고

또 흔들리고

또 흔들렸다.

"안녕, 애야."
헨리의 할머니가
헨리에게 말했다.
그녀는 그를 꼭 안아 주었다.

"안녕, 애야."
헨리의 할머니가
머지에게 말했다.
그녀는 녀석을 꼭 안아 주었다.
헨리의 할머니는 그녀의 소매에서
개 침을 닦아 냈고,
그들은 그녀를 따라
집으로 들어갔디.

많은 눈초리

헨리의 할머니의 집은

매우 작았다.

그곳에는 탁자들이 많았고,

탁자 위에는 물건들이 있었다.

헨리는 머지를 바라보았고,

처음으로

머지가

더 작았으면 좋겠다고 생각했다.

더 키가 작았으면.

더 말랐으면.

머지는 마치

공중전화 부스 안에 있는

코끼리처럼 보였다.

그리고 얼마 지나지 않아,
머지는 탁자에서
분홍색 홍학을
쳐서 떨어뜨렸다.
"어휴, 머지." 헨리가 말했다.

헨리의 아빠는
머지를 화난 눈초리로 보았다.

그다음 머지는 탁자에서
소원을 비는 우물을
쳐서 떨어뜨렸다.
"어휴, 머지." 헨리가 말했다.

헨리의 아빠와
헨리의 엄마는
머지를 화난 눈초리로 보았다.

그리고 나서 머지가 탁자에서

박하사탕이 든 그릇을

쳐서 떨어뜨렸을 때,

헨리의 아빠

그리고 헨리의 엄마

그리고 헨리의 할머니는

머지를 화난 눈초리로 보았다.

그리고 헨리의 아빠가 말했다.

"밖으로 나가."

머지는 쫓겨났다.

헨리는
모두를
화난 눈초리로 보았다.

한밤중 소동

저녁 식사 후에,

헨리는 머지와 함께

밖에서 놀았다.

그들은 새를 위한 물통을 좋아했는데,

머지가 특히 좋아했다.

그것은 마치

오직 녀석만을 위한

아주 커다란 물그릇 같았다.

날이 어두워지자,
헨리의 아빠가
헨리를 안으로 불러들였다.

"머지는 어떻게 해요?"
헨리가 물었다.
"녀석은 밖에서 자야 돼."
헨리의 아빠가 말했다.
"*밖에서요?*" 헨리가 말했다.

헨리는 어두운

시골 마당에 앉아 있는,

머지를 바라보았다.

헨리는 걱정했다.

그는 머지가 외로워할까 봐

걱정했다.

그는 머지가 슬퍼할까 봐

긱징했다.

하지만 주로 헨리는

혹시

도움이 필요한데

머지가 자고 있을까 봐 걱정했다.

곰이나

아니면 붉은스라소니

아니면 거대한 나방

아니면 쥐로부터 말이다.

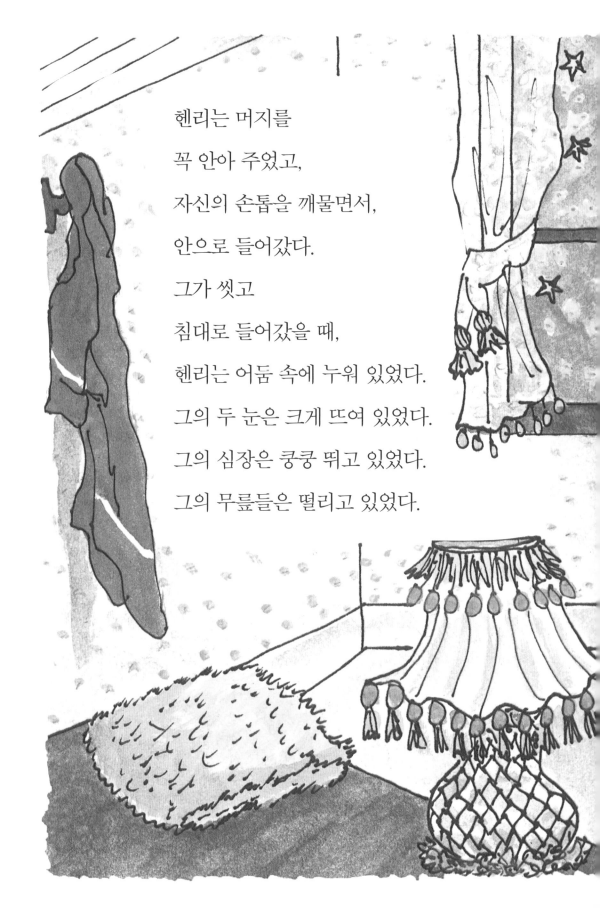

헨리는 머지를
꼭 안아 주었고,
자신의 손톱을 깨물면서,
안으로 들어갔다.
그가 씻고
침대로 들어갔을 때,
헨리는 어둠 속에 누워 있었다.
그의 두 눈은 크게 뜨여 있었다.
그의 심장은 쿵쿵 뛰고 있었다.
그의 무릎들은 떨리고 있었다.

그때

쉬익! 펄럭!

나방이었다!

헨리는 침대 밖으로
벌떡 뛰쳐나갔다!
그는 현관을 향해
달려갔다!
"머지!" 그가
큰 속삭임으로 외쳤다.

쿵.

쿵.

쿵.

머지가 현관 탁자 아래에서

녀석의 꼬리를 흔들었다.

"안녕 머지." 헨리가 말하면서

그 또한, 탁자 아래로 기어갔다.

헨리는 머지를 봐서 기뻤다.

머지는 헨리를 봐서 기뻤다.

머지는 헨리의 얼굴을 핥았고

그의 귀 냄새를 맡았고

그와 악수했다.

그러고 나서 헨리는 자신의 머리를
머지의 넓은 가슴 위에 얹었고,
마침내 그는
시골에 있는
어두운 마당 안의
낯선 집에서
잘 잘 수 있었다.

그리고 나방이

옆으로 날아왔을 때,

머지가 그것을 먹어 버렸다.

Activities

영어 원서를 총 여섯 개의 파트로 나누어,
각 파트별로 다양한 액티비티를 담았습니다.

Part 1 ··· 42
(영어 원서 p.4 ~ 7)

Part 2 ··· 50
(영어 원서 p.8 ~ 11)

Part 3 ··· 58
(영어 원서 p.12 ~ 17)

Part 4 ··· 66
(영어 원서 p.18 ~ 25)

Part 5 ··· 74
(영어 원서 p.26 ~ 31)

Part 6 ··· 82
(영어 원서 p.32 ~ 40)

각 파트의 영어 원서 페이지는 롱테일북스에서 출간된
'롱테일 에디션'을 기준으로 합니다!
수입 원서와는 페이지 구성에 차이가 있으니 참고하세요.

VOCABULARY

큰

big

개

dog

시골

country

부모님

parents

읽다

read

만화책

comic book

물어뜯다, 씹다

chew

발톱

toenail

방문하다

visit

할머니

grandmother

한 번도 ~않다

never

걱정하다 (과거형 worried)

worry

침을 흘리다

drool

치마

skirt

먹다

eat

탁자, 식탁

table

자다; 잠

sleep

밖에서

outside

VOCABULARY QUIZ

1 그림에 맞는 단어를 퍼즐에서 찾아 표시하고 단어를 써 보세요.

d	o	g	x	g	n	t	e	c	b	g
x	u	b	n	v	u	o	q	o	o	r
g	t	c	s	d	u	e	a	u	i	a
v	s	v	k	d	i	n	d	n	u	n
b	i	n	i	u	k	a	g	t	y	d
n	d	y	r	s	n	i	h	r	e	m
u	e	r	t	e	z	l	u	y	a	o
a	p	r	v	t	r	u	s	f	b	t
c	s	r	e	a	d	o	o	k	w	h
w	x	v	g	r	q	y	p	b	a	e
x	p	a	r	e	n	t	s	v	n	r

dog _____ _____ _____ _____

_____ _____ _____ _____

2 그림에 맞는 단어를 연결하고 빈칸에 알맞은 알파벳을 넣어 보세요.

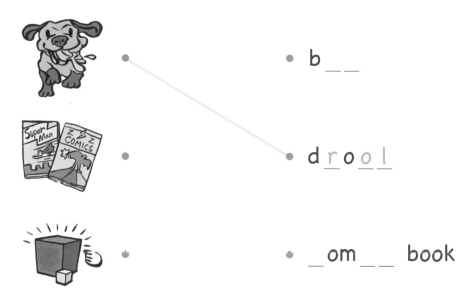

b _ _

d r o o l

_ om _ _ book

3 글자를 바르게 배열하여 단어를 완성해 보세요.

e t a l b

table

u n t c o y r

c e w h

a e t

r e n v e

p l e s e

s i t v i

w r y o r

WRAP-UP QUIZ

1 이야기의 순서에 맞게 그림을 배열해 보세요.

a

Henry's family and Mudge were going to visit Henry's grandmother.

b

Henry worried that Mudge would eat the coffee table.

c

Henry worried that Mudge might have to sleep outside.

d

Henry worried that Mudge would drool on his grandmother's clothes.

2 다음 질문에 알맞은 답을 선택해 보세요.

1) What was Henry doing in the car?

   a. He was reading comic books.

   b. He was pretending to be a shark.

   c. He was petting Mudge's big head.

2) Who were Henry's family and Mudge going to visit?

   a. Henry's teacher

   b. Mudge's mother

   c. Henry's grandmother

3) Why did Henry worry about Mudge?

   a. Henry's grandmother did not like dogs.

   b. Mudge had never met Henry's grandmother.

   c. Mudge was afraid to go to strange places.

3 책의 내용과 일치하면 T, 그렇지 않으면 F를 적어 보세요.

1) Henry's family and Mudge were going to the country by train. _____

2) Henry was happy to show Mudge to his grandmother. _____

3) Henry hoped Mudge could sleep outside. _____

PATTERN DRILL

Henry was reading comic books.
헨리는 만화책을 읽고 있었다.

차를 타고 시골에 가는 헨리의 가족. 차 안에서 헨리는 만화책을 읽고 있었고, 머지는 발톱을 물어뜯고 있었어요. 이렇게 지금 일어나고 있는 일에 대해 말할 때는 be를 먼저 쓰고, 동작을 나타내는 표현에 ing를 붙여서 함께 써요. 그렇게 하면 **"~하고 있다"** 또는 **"~하는 중이다"**라는 뜻이 돼요.

be + [동작]ing : ~하고 있다

I am waiting for her.
나는 그녀를 기다리고 있다.

You are dancing.
너는 춤을 추고 있다.

She is lying in bed.
그녀는 침대에 누워 있다.

We were cutting up some apples.
우리는 사과 몇 개를 자르고 있었다.

우리말과 뜻이 통하도록 네모 안에 들어 있는 말을 바르게 배열해 보세요.

1. 머리 위로 태양이 빛나고 있다.

the sun	shining	is	overhead
태양	빛나고 있는	~이다 (be의 다른 모양)	머리 위로

The sun is _____ .

2. 내 남동생이 나를 귀찮게 하고 있었다.

was	my brother	me	bothering
~였다 (be의 다른 모양)	내 남동생	나	귀찮게 하고 있는

_____ .

3. 그들은 창문을 닫고 있었다.

the window	they	were	closing
창문	그들	~였다 (be의 다른 모양)	닫고 있는

_____ .

4. 나는 피아노를 연주하고 있다.

playing	the piano	I	am
연주하고 있는	피아노	나	~이다 (be의 다른 모양)

_____ .

꼭 기억하세요

동작 표현에 ing를 붙일 때 모양이 달라지는 경우가 있어요.

- •-e로 끝나는 표현: -e를 없애고 + ing   dance → dancing
- •-ie로 끝나는 표현: -ie 대신 -y가 붙고 + ing   lie → lying
- •자음 - 모음 - 자음으로 끝나는 표현 : 마지막 자음을 한 번 더 쓰고 + ing   run → running

VOCABULARY

자다; 잠
(과거형, 과거분사 slept)

sleep

밖에서

outside

전에

before

혼자

alone

노력하다

try

비어 있는

empty

방

room

낯선, 이상한

strange

어두운

dark

마당

yard

읽다 (과거형 read)

read

만화책

comic book

걱정하다 (과거형 worried)

worry

시작하다 (과거형 began)

begin

물어뜯다, 물다; 한 입
(과거형 bit)

bite

손톱

fingernail

뱉다

spit

발톱

toenail

VOCABULARY QUIZ

1 알파벳을 연결해서 단어를 만들고, 알맞은 그림과 연결해 보세요.

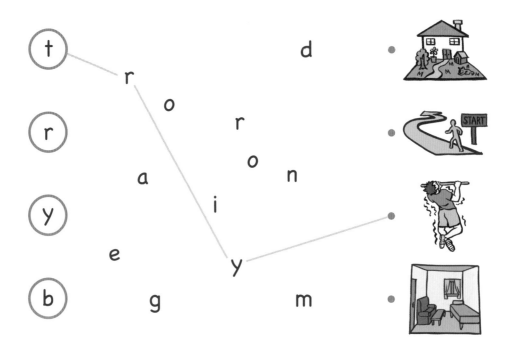

2 빈칸에 알맞은 알파벳을 넣어 단어를 완성해 보세요.

be_f_o_r_e   b _ _ e   e _ _ t _   s _ _ an _ e

co _ _ c book   d _ _ k   _ _ o _ e   _ in _ ern _ il

3 그림을 보고 알맞은 단어를 넣어 퍼즐을 완성해 보세요.

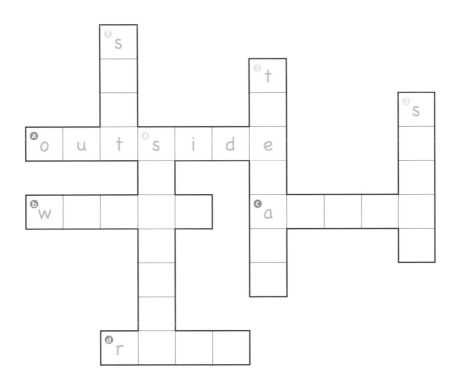

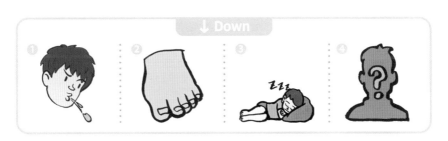

WRAP-UP QUIZ

1 이야기의 순서에 맞게 그림을 배열해 보세요.

The car drove on to the country.

Henry worried as he read his comic books.

Henry was afraid to be alone if Mudge slept outside.

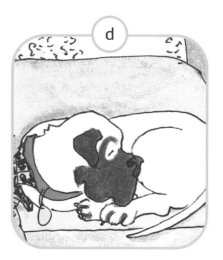

Mudge chewed his toenails.

 ···▶ ···▶ ···▶

2 다음 질문에 알맞은 답을 선택해 보세요.

1) What had Mudge NEVER done before?

    a. He had never chewed his toenails.

    b. He had never slept outside.

    c. He had never eaten crackers.

2) Where might Henry try to sleep?

    a. In an empty room in a strange house in a dark yard

    b. In an empty room in a familar house in a bright yard

    c. In an empty room in a strange house in a green yard

3) What did Mudge do while the car drove on?

    a. He chewed his toenails.

    b. He slept all the way.

    c. He looked through the window.

3 책의 내용과 일치하면 **T**, 그렇지 않으면 **F**를 적어 보세요.

1) Henry worried that he would sleep alone in the night.   _____

2) Mudge had slept outside before.   _____

3) Henry chewed his fingernails.   _____

PATTERN DRILL

Henry would be alone in an empty room.
헨리는 빈 방에서 혼자 있게 될 것이었다.

헨리는 머지 없이 혼자 자게 되는 것이 걱정되었어요. 그것도 낯선 집의 빈 방 안에서 말이에요. 이렇게 어떤 곳에 무언가가 있다고 말하거나, 그곳에서 무언가를 한다고 말할 때는 in 다음에 사물이나 공간 등의 장소를 써요. 그러면 "~ 안에" 또는 "~에서"라는 뜻이 돼요.

in + [장소]: ~ 안에 / ~에서

The ball is in the box.
그 공은 상자 안에 있다.

He hung his clothes in the closet.
그는 옷장 안에 자신의 옷을 걸었다.

We saw amazing animals in Africa.
우리는 아프리카에서 멋진 동물들을 보았다.

My mother loved to walk in the garden.
내 어머니는 정원에서 걷는 것을 정말 좋아했다.

우리말과 뜻이 통하도록 네모 안에 들어 있는 말을 바르게 배열해 보세요.

1. 내 책은 거실에 있다.

is	my book	the living room	in
있다 (be의 다른 모양)	내 책	거실	~에

My book is

_____ .

2. 그는 포크들을 부엌 서랍 안에 두었다.

the kitchen drawer	the forks	in	put	he
부엌 서랍	포크들	~ 안에	두었다	그

_____ .

3. 우리는 교실에서 달리면 안 된다.

run	in	we	the classroom	should not
달리다	~에서	우리	교실	~하면 안 된다

_____ .

4. 그의 부모님은 시골에 산다.

in	the country	his parents	live
~에	시골	그의 부모님	살다

_____ .

5. 그녀는 그녀의 열쇠를 가방 안에 보관했다.

her bag	kept	her keys	in	she
그녀의 가방	보관했다	그녀의 열쇠	~ 안에	그녀

_____ .

VOCABULARY

할머니

grandmother

새 물통

birdbath

정원

garden

옥수수

corn

~을 보다

look at

서로

each other

손톱

fingernail

발톱

toenail

짧은, 키가 작은

short

큰

big

미소; 미소 짓다

smile

물방울무늬

polka-dot

원피스

dress

꼬리

tail

껴안다; 포옹 (과거형 hugged)

hug

닦다

wipe

소매

sleeve

따라가다

follow

1 그림에 맞는 단어를 퍼즐에서 찾아 표시하고 단어를 써 보세요.

```
s  b  r  e  b  j  f  w  h  c  d
f  f  b  i  g  r  o  t  s  e  r
i  q  e  r  x  s  l  f  l  s  e
n  t  b  y  c  d  l  c  e  i  s
g  a  i  h  v  r  o  a  e  y  s
e  o  r  j  t  y  w  j  v  n  d
r  v  d  u  w  q  w  y  e  h  q
n  b  b  y  d  h  q  y  r  j  e
a  u  a  w  e  g  a  r  d  e  n
i  c  t  q  w  s  s  g  j  h  w
l  b  h  s  w  i  p  e  r  x  s
```

_____ _____ _____ _____

_____ _____ _____ _____

2 그림에 맞는 단어를 연결하고 빈칸에 알맞은 알파벳을 넣어 보세요.

•

• __ __ c __ other

•

• po __ __ a-dot

•

• g __ __ nd __ o __ her

3 글자를 바르게 배열하여 단어를 완성해 보세요.

r o c n   s d s e r   g h u   k o l o

at
_____   _____   _____   _____

h r t s o   m s i e l   i a t l   n t a o i l e

_____   _____   _____   _____

61

WRAP-UP QUIZ

1 이야기의 순서에 맞게 그림을 배열해 보세요.

Henry's grandmother also hugged Mudge tight.

There were a birdbath and a garden at the grandmother's house.

Henry's fingernails and Mudge's toenails were very short after the ride.

Henry's grandmother greeted Henry and hugged him tight.

 ···▶ ···▶ ···▶

2 다음 질문에 알맞은 답을 선택해 보세요.

1) What was at the grandmother's house?

    a. A statue

    b. A tall tree

    c. A birdbath

2) What did Henry's grandmother NOT have?

    a. A polka-dot dress

    b. Glasses

    c. A big smile

3) What did Henry's grandmother do after she hugged Mudge?

    a. She wiped Mudge's drool off her sleeve.

    b. She patted Mudge's head.

    c. She gave Mudge some crackers.

3 책의 내용과 일치하면 T, 그렇지 않으면 F를 적어 보세요.

1) The garden was full of corn. _____

2) Henry's grandmother frowned at Henry and Mudge. _____

3) Henry's grandmother did not want to hug Mudge. _____

PATTERN DRILL

Henry's grandmother came outside.
헨리의 할머니가 밖으로 나왔다.

할머니의 집에 도착한 헨리의 가족. 헨리의 할머니는 모두를 따뜻하게 맞이했어요.
이렇게 '할머니의 집', '헨리의 할머니'라고 말한 것처럼 누구의 것인지 나타내고 싶을
때는 사람이나 사물 등의 대상에 's를 붙여서 **"~의"**라는 뜻으로 쓸 수 있어요.

[대상]'s : ~의

Mary's father is tall.
메리의 아버지는 키가 크다.

The dog's fur was soft.
그 개의 털은 부드러웠다.

Jenny's parents smiled at me.
제니의 부모님이 나에게 미소 지었다.

I like **my grandmother's cookies**.
나는 우리 할머니의 쿠키를 좋아한다.

우리말과 뜻이 통하도록 네모 안에 들어 있는 말을 바르게 배열해 보세요.

1. 머지는 헨리의 방을 좋아했다.

Mudge	Henry	room	's	liked
머지	헨리	방	~의	좋아했다

Mudge liked
-- .

2. 나는 피터의 책을 빌렸다

borrowed	Peter	I	book	's
빌렸다	피터	나	책	~의

-- .

3. 제인의 집은 아주 크다.

's	house	very big	is	Jane
~의	집	아주 큰	~이다	제인

-- .

4. 그녀는 앤디의 눈을 들여다봤다.

looked into	eyes	Andy	's	she
~을 들여다봤다	눈	앤디	~의	그녀

-- .

꼭 기억하세요

s가 붙은 둘 이상의 사람이나 사물에는 's 대신 '만 붙여요.

the girls' bathroom	여자 화장실
the boys' baseball team	소년 야구팀
the twins' parents	쌍둥이의 부모님

65

VOCABULARY

할머니

grandmother

집, 주택

house

작은

small

많은

a lot of

탁자, 식탁

table

바라다; 소원

wish

키가 더 작은

shorter

더 마른

thinner

코끼리

elephant

공중전화 부스

phone booth

부딪히다

knock

분홍색의

pink

홍학

flamingo

아버지

father

우물

well

어머니

mother

그릇

bowl

박하사탕

peppermint

VOCABULARY QUIZ

1 알파벳을 연결해서 단어를 만들고, 알맞은 그림과 연결해 보세요.

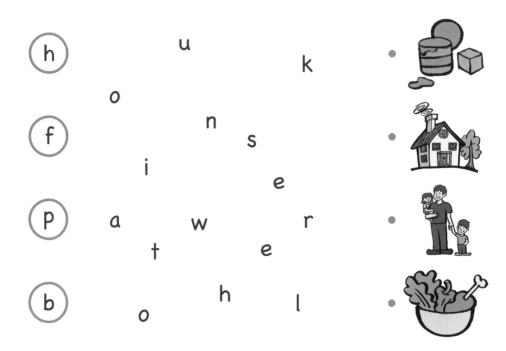

2 빈칸에 알맞은 알파벳을 넣어 단어를 완성해 보세요.

gra__mo__er   w__l   s__r_er   __o_e booth

el_p__nt   fl_m_n_o   a____ of   t_i_ne_

3 그림을 보고 알맞은 단어를 넣어 퍼즐을 완성해 보세요.

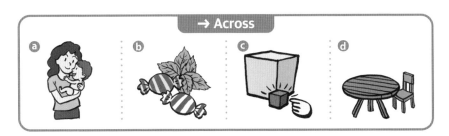

→ Across

ⓐ ⓑ ⓒ ⓓ

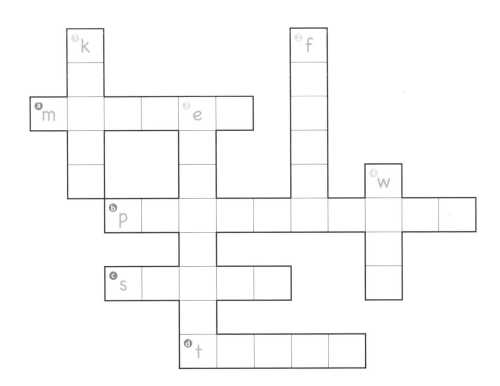

❶k ❷f

ⓐm ❸e

❹w

ⓑp

ⓒs

ⓓt

↓ Down

❶ ❷ ❸ ❹

WRAP-UP QUIZ

1 이야기의 순서에 맞게 그림을 배열해 보세요.

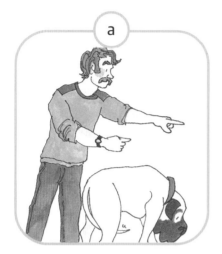

a

Henry's father threw Mudge out of the house.

b

Henry wished Mudge was smaller, shorter, and thinner.

c

Mudge knocked a lot of things off of the table.

d

Henry felt bad for Mudge.

 ···▶ ···▶ ···▶

2 다음 질문에 알맞은 답을 선택해 보세요.

1) Why did Henry wish that Mudge was smaller, shorter, and thinner?

    a. So that Mudge could fit in the small house

    b. So that Mudge could sit on the couch

    c. So that Henry could put his arms around Mudge

2) Why was Mudge put out?

    a. Mudge knocked over small things in the house.

    b. Mudge drooled all over the floor.

    c. Mudge ate all the peppermints on the table.

3) What did Henry do when his father threw Mudge out?

    a. Henry cried a little.

    b. Henry had a good time without Mudge.

    c. Henry gave everyone a look.

3 책의 내용과 일치하면 **T**, 그렇지 않으면 **F**를 적어 보세요.

1) The grandmother's house was very big.   _____

2) Henry's parents and grandmother all gave Mudge a look.   _____

3) Henry's father sent Mudge outside.   _____

PATTERN DRILL

Henry wished Mudge was smaller.
헨리는 머지가 더 작았으면 좋겠다고 생각했다.

헨리의 큰 개 머지는 할머니의 작은 집 안에서 여기저기 부딪혔어요. 그래서 헨리
는 처음으로 머지가 더 작았으면 좋겠다고 바랐어요. 이렇게 어떤 상태를 비교해서
"더 ~한", "더 ~하게"라고 말하고 싶을 때는 상태나 특징을 나타내는 표현에 er을
붙여요.

[상태/특징]er : 더 ~한 / 더 ~하게

Mudge grew taller.
머지는 더 커졌다.

Your pencil is shorter.
너의 연필이 더 짧다.

Her heart beat faster.
그녀의 심장이 더 빠르게 뛰었다.

I hope for better weather tomorrow.
나는 내일은 날씨가 더 좋아지길 바란다.

* '더 좋은'이라고 말할 때는 'good + er'이 아니라 'better'라고 써요.
이렇게 전혀 다른 모습으로 변하는 단어들도 있어요.

우리말과 뜻이 통하도록 네모 안에 들어 있는 말을 바르게 배열해 보세요.

1. 그녀의 머리카락은 더 길었다.

longer	was	her hair
더 긴	~였다 (be의 다른 모양)	그녀의 머리카락

Her hair was _____ .

2. 달리기는 나를 더 튼튼하게 했다.

made	stronger	me	running
~하게 했다	더 튼튼한	나	달리기

_____ .

3. 그는 더 저렴한 제품들을 찾았다.

he	products	cheaper	looked for
그	제품들	더 저렴한	~을 찾았다

_____ .

4. 나는 그들보다 더 똑똑하다.

than them	smarter	am	I
그들보다	더 똑똑한	~이다 (be의 다른 모양)	나

_____ .

꼭 기억하세요

상태나 특징을 나타내는 표현이 길거나 -ly로 끝난다면, er을 붙이지 않고 표현 앞에 more를 써요.

더 아름다운	beautifuler	(X)	더 조심해서	carefullyer	(X)
	more beautiful	(O)		more carefully	(O)

VOCABULARY

저녁 식사

dinner

놀다, (게임을) 하다

play

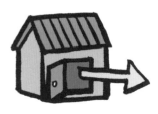

밖에서

outside

~와 함께

with

새 물통

birdbath

거대한

giant

접시

dish

어두운

dark

~을 보다

look at

시골

country

마당

yard

두려워하는

afraid

외로운

lonely

잠이 든

asleep

곰

bear

붉은스라소니

bobcat

나방

moth

생쥐

mouse

VOCABULARY QUIZ

1 그림에 맞는 단어를 퍼즐에서 찾아 표시하고 단어를 써 보세요.

```
g  n  a  t  h  r  e  q  a  f  d
f  v  f  e  d  b  o  b  c  a  t
w  a  r  t  r  d  d  t  d  r  m
d  d  a  f  f  r  g  d  f  o  h
a  e  i  g  d  i  n  n  e  r  o
r  e  d  f  b  s  d  d  b  i  u
k  w  g  g  i  a  n  t  x  u  t
e  i  u  r  i  p  v  b  z  a  s
w  l  o  n  e  l  y  n  f  p  i
q  w  h  g  p  o  z  x  h  u  d
s  m  o  u  s  e  n  m  k  m  e
```

_____ _____ _____ _____

_____ _____ _____ _____

2 그림에 맞는 단어를 연결하고 빈칸에 알맞은 알파벳을 넣어 보세요.

 •

• _ o _ _ at

 •

• b _ _ d _ at _

 •

• _ oun _ _ y

3 글자를 바르게 배열하여 단어를 완성해 보세요.

s e p e l a

h t m o

b r a e

i h d s

r d e n i n

d a r y

t i w h

a p l y

1 이야기의 순서에 맞게 그림을 배열해 보세요.

a

Henry worried that Mudge
would be lonely at night.

b

Mostly Henry needed Mudge
to protect him from dangerous
creatures.

c

Henry's father said that Mudge
had to sleep outside.

d

Henry played outside with
Mudge after dinner.

 ···▶ ···▶ ···▶

2 다음 질문에 알맞은 답을 선택해 보세요.

1) Why did Mudge like the birdbath?

   a. It was a perfect place to splash water at Henry.

   b. It was like a giant water dish just for him.

   c. It was good for playing with birds.

2) How did Henry feel when Mudge had to sleep outside?

   a. He was bored.

   b. He was afraid.

   c. He was glad.

3) Which of the following was Henry NOT afraid of?

   a. A moth

   b. A bear

   c. A cat

3 책의 내용과 일치하면 **T**, 그렇지 않으면 **F**를 적어 보세요.

1) Henry and Mudge loved the birdbath. _____

2) Henry's father let Mudge sleep inside. _____

3) Henry was afraid to sleep without Mudge. _____

PATTERN DRILL

What about Mudge?

머지는 어떻게 해요?

날이 어두워지자 아빠는 헨리에게 집으로 들어오라고 말했어요. 혼자 집 안으로 들어온 헨리는 아빠에게 머지는 어떻게 하면 좋을지 물었지요. 이렇게 **"~은 어떻게 해요?"**라고 묻고 싶을 때는 what about 다음에 대상을 써서 말해요. 이 표현은 **"~은 어때요?"**라고 제안할 때도 쓸 수 있어요.

what about + [대상]?: ~은 어떻게 해요? / ~은 어때요?

What about Henry's school?
헨리의 학교는 어떻게 해요?

What about your meeting?
당신의 회의는 어떻게 해요?

What about dinner at my house?
내 집에서 저녁 식사를 하는 것은 어때요?

What about going on a picnic?
소풍을 가는 것은 어때요?

* 어떤 행동을 제안할 때는 what about 다음에 '동작 + ing'를 써요.

우리말과 뜻이 통하도록 네모 안에 들어 있는 말을 바르게 배열해 보세요.

1. 그녀를 위한 선물은 어떻게 해요?

a present	what about	her	for
선물	~은 어떻게 해요?	그녀	~를 위한

   What about a present _____ ?

2. 보드게임을 하는 것은 어때요?

a board game	playing	what about
보드게임	하는 것	~은 어때요?

   _____ ?

3. 내 피아노 수업은 어떻게 해요?

my	what about	piano lesson
내	~은 어떻게 해요?	피아노 수업

   _____ ?

4. 공룡에 대한 이 책은 어때요?

what about	dinosaurs	this book	about
~은 어때요?	공룡	이 책	~에 대한

   _____ ?

5. 월요일에 있는 그의 영어 시험은 어떻게 해요?

on Monday	his	what about	English test
월요일에	그의	~은 어떻게 해요?	영어 시험

   _____ ?

81

VOCABULARY

씻다

wash

침대

bed

큰

big

쿵쿵 뛰다

pound

무릎

knee

흔들다

shake

나방

moth

뛰다

jump

(소리가) 큰

loud

속삭임; 속삭이다

whisper

흔들다 (과거형 wagged)

wag

꼬리

tail

현관

porch

탁자, 식탁

table

기어가다

crawl

핥다

lick

가슴

chest

낯선, 이상한

strange

VOCABULARY QUIZ

1 알파벳을 연결해서 단어를 만들고, 알맞은 그림과 연결해 보세요.

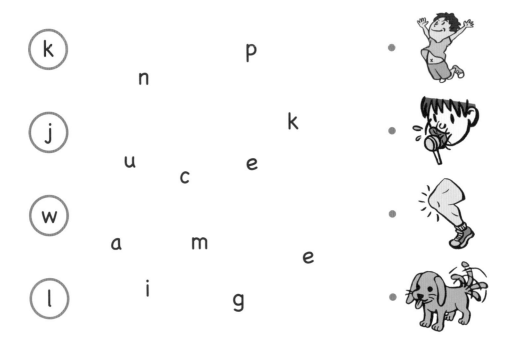

2 빈칸에 알맞은 알파벳을 넣어 단어를 완성해 보세요.

__g   l___   __a_e   _e_

p__n_   ta__   _a_l   _h__t

3 그림을 보고 알맞은 단어를 넣어 퍼즐을 완성해 보세요.

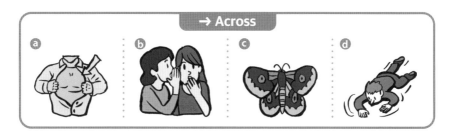

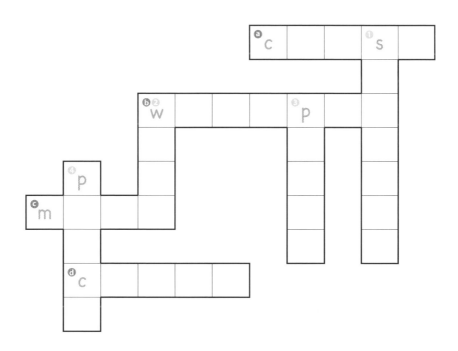

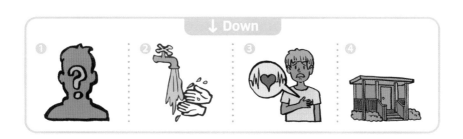

WRAP-UP QUIZ

1 이야기의 순서에 맞게 그림을 배열해 보세요.

a

Henry and Mudge were glad to see each other.

b

Henry went out to look for Mudge when he saw a moth.

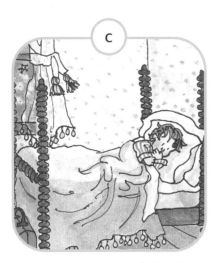

c

Henry was so scared that he could not sleep.

d

Henry finally felt safe in a strange place, thanks to Mudge.

2 다음 질문에 알맞은 답을 선택해 보세요.

1) Which was NOT true about Henry when he was alone in bed?

    a. His eyes kept closing.

    b. His heart was pounding.

    c. His knees were shaking.

2) What did Mudge do when Henry crawled under the table?

    a. Mudge closed his eyes.

    b. Mudge shook Henry's hand.

    c. Mudge drooled on Henry.

3) What did Mudge do when the moth flew by?

    a. He woke up Henry.

    b. He ran away.

    c. He ate it.

3 책의 내용과 일치하면 **T**, 그렇지 않으면 **F**를 적어 보세요.

1) Henry enjoyed sleeping alone in the dark.   _____

2) Mudge was sleeping in a guest room.   _____

3) Finally Henry could sleep well with Mudge.   _____

Henry **was glad to** see Mudge.
헨리는 머지를 봐서 기뻤다.

잠들 수 없었던 헨리는 머지를 찾아 집밖으로 나갔어요. 그리고 탁자 아래에 있는 머지를 보고 기뻐했어요. 이렇게 **"~해서 기쁘다"**라고 말하고 싶을 때는 be glad to 다음에 동작을 나타내는 표현을 써서 말해요. 이때 be는 상황에 따라 여러 가지로 모양이 바뀌지만, 동작 표현은 원래 모습 그대로 써야 해요.

be glad to + [동작]: ~해서 기쁘다

I **am glad to** meet you.
나는 너를 만나서 기쁘다.

We **are glad to** hear the news.
우리는 그 소식을 듣게 되어서 기쁘다.

She **was glad to** be home again.
그녀는 집에 돌아와서 기뻤다.

They **were glad to** win the game.
그들은 게임에서 이겨서 기뻤다.

우리말과 뜻이 통하도록 네모 안에 들어 있는 말을 바르게 배열해 보세요.

1. 나는 너를 도와서 기쁘다.

help	am glad to	I	you
돕다	~해서 기쁘다	나	너

I am glad to
--- .

2. 우리는 그 자동차를 팔아서 기쁘다.

the car	we	sell	are glad to
그 자동차	우리	팔다	~해서 기쁘다

--- .

3. 그녀는 그녀의 친구를 우연히 만나서 기뻤다.

was glad to	she	her friend	run into
~해서 기뻤다	그녀	그녀의 친구	~를 우연히 만나다

--- .

4. 그는 그의 휴대 전화를 찾아서 기뻤다.

find	was glad to	his cell phone	he
찾다	~해서 기뻤다	그의 휴대 전화	그

--- .

5. 그들은 서로를 만나서 기뻤다.

were glad to	they	meet	each other
~해서 기뻤다	그들	만나다	서로

--- .

ANSWERS

Part 1

Vocabulary Quiz

1.

d	o	g	x	g	n	t	e	c	b	g
x	u	b	n	v	u	o	q	o	o	r
g	t	c	s	d	u	e	a	u	i	a
v	s	v	k	d	i	n	d	n	u	n
b	i	n	i	u	k	a	g	t	y	d
n	d	y	r	s	n	i	h	r	e	m
u	e	r	t	e	z	l	u	y	a	o
a	p	r	v	t	r	u	s	f	b	t
c	s	r	e	a	d	o	o	k	w	h
w	x	v	g	r	q	y	p	b	a	e
x	p	a	r	e	n	t	s	v	n	r

2.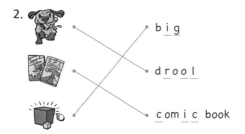

- b i g
- d r o o l
- c o m i c book

3. table / country / chew / eat

never / sleep / visit / worry

Wrap-up Quiz

1. a ⟶ d ⟶ b ⟶ c

2. 1) a   2) c   3) b

3. 1) F   2) F   3) F

Pattern Drill

1. The sun is shining overhead.

2. My brother was bothering me.

3. They were closing the window.

4. I am playing the piano.

Part 2

Vocabulary Quiz

1.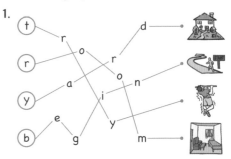

2. before / bite / empty / strange

comic book / dark / alone / fingernail

3.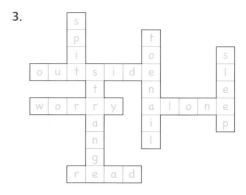

Wrap-up Quiz

1. c ⟶ b ⟶ d ⟶ a

2. 1) b   2) a   3) a

3. 1) T   2) F   3) T

Pattern Drill

1. My book is in the living room.

2. He put the forks in the kitchen drawer.

3. We should not run in the classroom.

4. His parents live in the country.

5. She kept her keys in her bag.

Part 3

Vocabulary Quiz

1.

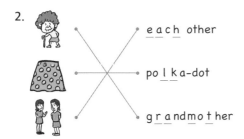

2.

each other

po l k a-dot

g r a ndmo t her

3. corn / dress / hug / look at
short / smile / tail / toenail

Wrap-up Quiz

1. b ⋯→ c ⋯→ d ⋯→ a

2. 1) c   2) b   3) a

3. 1) T   2) F   3) F

Pattern Drill

1. Mudge liked Henry's room.

2. I borrowd Peter's book.

3. Jane's house is very big.

4. She looked into Andy's eyes.

Part 4

Vocabulary Quiz

1.

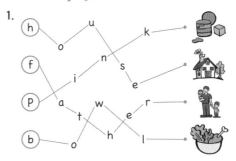

2. grandmother / well / shorter /
phone booth
elephant / flamingo / a lot of /
thinner

3.

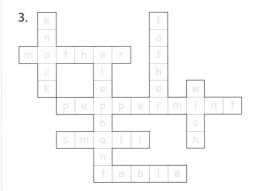

Wrap-up Quiz

1. b ⋯→ c ⋯→ a ⋯→ d

2. 1) a   2) a   3) c

3. 1) F   2) T   3) T

Pattern Drill

1. Her hair was longer.

2. Running made me stronger.

3. He looked for cheaper products.

4. I am smarter than them.

ANSWERS

Part 5

Vocabulary Quiz

1.

g	n	a	t	h	r	e	q	a	f	d
f	v	f	e	d	b	o	b	c	a	t
w	a	r	t	r	d	d	t	d	r	m
d	d	a	f	f	r	g	d	f	o	h
a	e	i	g	d	i	n	n	e	r	o
r	e	d	f	b	s	d	d	b	i	u
k	w	g	g	i	a	n	t	x	u	t
e	i	u	r	i	p	v	b	z	a	s
w	l	o	n	e	l	y	n	f	p	i
q	w	h	g	p	o	z	x	h	u	d
s	m	o	u	s	e	n	m	k	m	e

2.
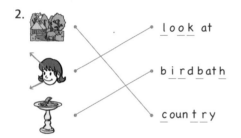

l o o k at

b i r d b a t h

c oun t r y

3. asleep / moth / bear / dish

dinner / yard / with / play

Wrap-up Quiz

1. d ⟶ c ⟶ a ⟶ b

2. 1) b   2) b   3) c

3. 1) T   2) F   3) T

Pattern Drill

1. What about a present for her?

2. What about playing a board game?

3. What about my piano lesson?

4. What about this book about dinosaurs?

5. What about his English test on
   Monday?

Part 6

Vocabulary Quiz

1.
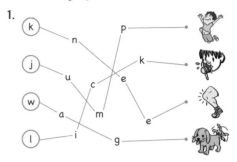

2. big / loud / shake / bed

pound / tail / table / chest

3.
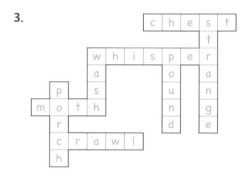

Wrap-up Quiz

1. c ⟶ b ⟶ a ⟶ d

2. 1) a   2) b   3) c

3. 1) F   2) F   3) T

Pattern Drill

1. I am glad to help you.

2. We are glad to sell the car.

3. She was glad to run into her friend.

4. He was glad to find his cell phone.

5. They were glad to meet each other.

HENRY AND MUDGE

HENRY AND MUDGE
The First Book
by Cynthia Rylant
illustrated by Sucie Stevenson

HENRY AND MUDGE
in Puddle Trouble
by Cynthia Rylant
illustrated by Sucie Stevenson

HENRY AND MUDGE
in the Green Time
by Cynthia Rylant
illustrated by Sucie Stevenson

HENRY AND MUDGE
under the Yellow Moon
by Cynthia Rylant
illustrated by Sucie Stevenson

HENRY AND MUDGE
in the Sparkle Days
by Cynthia Rylant
illustrated by Sucie Stevenson

HENRY AND MUDGE
and the Forever Sea
by Cynthia Rylant
illustrated by Sucie Stevenson

HENRY AND MUDGE
Get the Cold Shivers
by Cynthia Rylant
illustrated by Sucie Stevenson

HENRY AND MUDGE
and the Happy Cat
by Cynthia Rylant
illustrated by Sucie Stevenson

HENRY AND MUDGE
and the Bedtime Thumps
by Cynthia Rylant
illustrated by Sucie Stevenson

HENRY AND MUDGE
Take the Big Test
by Cynthia Rylant
illustrated by Sucie Stevenson

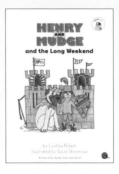

HENRY AND MUDGE
and the Long Weekend
by Cynthia Rylant
illustrated by Sucie Stevenson

HENRY AND MUDGE
and the Wild Wind
by Cynthia Rylant
illustrated by Sucie Stevenson

01 **HENRY AND MUDGE** The First Book

02 **HENRY AND MUDGE** in Puddle Trouble

03 **HENRY AND MUDGE** in the Green Time

04 **HENRY AND MUDGE** under the Yellow Moon

05 **HENRY AND MUDGE** in the Sparkle Days

06 **HENRY AND MUDGE** and the Forever Sea

07 **HENRY AND MUDGE** Get the Cold Shivers

08 **HENRY AND MUDGE** and the Happy Cat

09 **HENRY AND MUDGE** and the Bedtime Thumps

10 **HENRY AND MUDGE** Take the Big Test

11 **HENRY AND MUDGE** and the Long Weekend

12 **HENRY AND MUDGE** and the Wild Wind

학부모와 학습자들이 강력 추천하는 필독 원서, 『헨리와 머지 (Henry and Mudge)』 시리즈!

훨씬 더 넓어진 판형과 가독성을 극대화한 영문 서체로 새롭게 출간되었습니다

『헨리와 머지 (Henry and Mudge)』 시리즈는 소년 헨리와 커다란 개 머지가
소소한 일상 속에서 우정을 쌓아 가는 모습을 따뜻한 시선으로 그려낸 책입니다.
48페이지 이하의 부담 없는 분량에 귀엽고 포근한 느낌의 그림이 더해졌고,
짧고 반복되는 문장으로 이루어져 완독 경험이 없는 초급 영어 학습자도 즐겁게 읽을 수 있습니다.
롱테일북스의 『헨리와 머지 (Henry and Mudge)』 시리즈로 원서 읽는 습관을 시작해 보세요!

헨리 와 머지
그리고 한밤중 소동

초판 발행	2021년 1월 15일
글	신시아 라일런트
그림	수시 스티븐슨
번역및콘텐츠감수	정소이 박새미 유아름
콘텐츠제작참여	최선민 선생님(충남 보령 성주초) 김수정 선생님(경기 부천 부인초)
	권재범 선생님(충남 계룡 금암초) 박은정 선생님
책임편집	정소이 박새미 김보경
디자인	모희정 김진영
저작권	김보경
마케팅	김보미 정경훈
펴낸이	이수영
펴낸곳	(주)롱테일북스
출판등록	제2015-000191호
주소	04043 서울특별시 마포구 양화로 12길 16-9(서교동) 북앤빌딩 3층
전자메일	helper@longtailbooks.co.kr
ISBN	979-11-86701-76-8 14740

롱테일북스는 (주)북하우스 퍼블리셔스의 계열사입니다.

이 도서의 국립중앙도서관 출판예정도서목록(CIP)은 서지정보유통지원시스템 홈페이지(http://seoji.nl.go.kr)와 국가자료종합목록 구축시스템(http://kolis-net.nl.go.kr)에서 이용하실 수 있습니다. (CIP 제어번호 : CIP2020053064)